LE VOYAGE DE C

© 2015 Éditions Nathan, SEJER, 25, avenue Pierre-de-Coubertin, 75013 Paris, France
Loi n° 49-956 du 16 juillet 1949 sur les publications destinées à la jeunesse,
modifiée par la loi n° 2011-525 du 17 mai 2011
ISBN 978-2-09-255863-8
N° d'éditeur : 10261480 – Dépôt légal : avril 2015
Achevé d'imprimer en novembre 2019 par la Nouvelle Imprimerie Laballery
(58500 Clamecy, Nièvre, France)
N° d'impression : 911401

petites histoires.
de l'**HISTOIRE**

Le **voyage** de **Christophe Colomb**

Hélène Montardre

Illustrations de Glen Chapron

Nathan

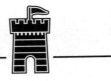

L'AVENTURE COMMENCE...

QUAND ?

Nous sommes en 1480.

OÙ ?

Au Portugal.
En Europe, pendant des siècles, les hommes ont pensé que la terre était plate. Mais depuis quelque temps, certains savants croient que finalement, elle est ronde. Une partie de cette terre est connue : l'Europe, le nord de l'Afrique, le Moyen-Orient.
Et puis, il y a les Indes...

MAIS ENCORE ?

Les Indes, c'est le nom que les Européens donnent à une région lointaine, située très à l'est de l'Europe, et dont on dit qu'elle possède de fabuleuses richesses.

Mais se rendre aux Indes par voie de terre est long et dangereux. Alors, les rois et les reines d'Europe voudraient bien trouver une autre route pour y aller.

QUI?

Christophe Colomb pense aussi que la terre est ronde. Il est marin et il a beaucoup navigué en mer Méditerranée et aussi sur la mer Océane, située à l'ouest de l'Europe.

Un jour, il part se promener sur une plage de cette mer Océane...

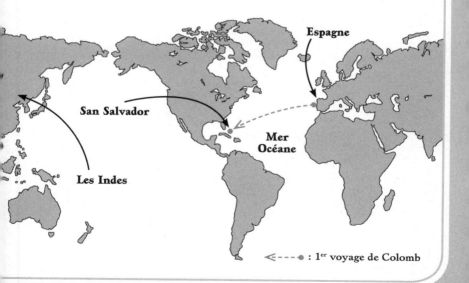

Espagne

San Salvador

Mer Océane

Les Indes

◄ - - - ● : 1ᵉʳ voyage de Colomb

1

UN BOUT DE BOIS SCULPTÉ

Un vent léger balaie le sable de la plage et Colomb respire avec délice. L'air est chargé de senteurs marines, mais il y retrouve aussi le parfum des fleurs qui s'accrochent aux falaises. Il lève la tête vers le ciel d'un bleu intense. Non loin de là, la mer vient mourir en vagues paisibles sur le rivage. Il sourit.

Durant plusieurs jours, la tempête a fait rage sur l'île portugaise de Madère. Impossible de mettre le nez dehors ! Il a dû rester enfermé dans la maison qu'il occupe avec sa femme Felipa et leur petit garçon, Diego. Et puis la tempête s'est calmée d'un coup. Le vent a chassé les nuages, le soleil a illuminé le ciel, et Colomb a bondi à l'extérieur.

Il marche sur la plage depuis un bon moment

quand soudain, une forme sur le sable attire son attention. Il s'en approche. Ce n'est qu'un morceau de bois rejeté par les vagues. Il est prêt à se détourner quand un détail le retient. Ce bout de bois n'est pas comme les autres. On dirait que quelque chose est gravé dessus.

Il se baisse, le ramasse et essuie du bout des doigts le sable qui s'y incruste. Un motif apparaît. Un motif étrange comme il n'en a jamais vu. Pourtant, à trente ans, il en a accompli des voyages ! Il avait à peine quatorze ans quand il a pris la mer la première fois. Depuis, il est devenu un très bon marin. Il a navigué en Méditerranée et abordé dans de nombreux ports. Il a longé les côtes du Portugal. Il est même allé beaucoup plus au sud, jusqu'en Guinée, en Afrique. Partout il a observé, car tout l'intéresse. La mer, bien sûr, mais aussi ce qu'il découvre quand il touche une terre : l'aspect du sol, les plantes, les animaux, les odeurs, les habitants et la façon dont ils vivent, les objets qu'ils fabriquent... Cependant, nulle part, il n'a vu un morceau de bois sculpté comme celui qu'il tient entre les mains. Qu'est-ce que ça peut bien représenter ? Qui l'a réalisé ? Et surtout, d'où vient-il ?

Campé sur ses jambes, dos à la falaise, Colomb contemple la mer Océane. À l'horizon, le bleu de l'eau rejoint celui du ciel. Qu'y a-t-il au-delà ?

Colomb glisse la pièce de bois dans une poche de son vêtement et rentre chez lui, songeur.

Durant les jours qui suivent, il ne parle à personne de sa découverte, pas même à son épouse, Felipa. Mais il écoute, et il questionne.

– Oui ! prétendent de vieux habitants de Madère. La mer rejette parfois des objets curieux...

– Comme quoi ? interroge Colomb.

– Une fois, c'était un morceau de bois bizarrement sculpté.

Colomb frémit. Ainsi, il n'est pas le seul à avoir vu ce genre de chose !

– Moi, dit un autre, j'ai trouvé des roseaux. Mais pas des roseaux comme ceux qui poussent dans notre rivière. Non. Des roseaux immenses !

Colomb enregistre soigneusement toutes ces informations.

Plus tard, il entend parler d'un événement plus surprenant encore. Sur la côte de l'île Flores, aux

Açores, un groupe d'îles situé au nord de Madère, en face du Portugal, deux corps d'hommes ont été repêchés. Rejetés par la mer, eux aussi.

« Des marins… » a-t-on tout de suite pensé.

Mais le visage de ces marins ne ressemblait en rien à celui des Portugais, des Espagnols ou d'un peuple connu. Il était plus large, et leurs traits étaient différents.

Ceux qui vivent sur ces îles de la mer Océane racontent également des histoires étranges. Parfois, quand le temps est très clair, ou alors après une tempête, ou encore quand le soleil se couche, une ligne apparaît, très loin sur la mer, comme s'il y avait une terre, là-bas, à l'ouest.

Une terre… L'idée s'installe petit à petit dans l'esprit de Colomb. Et après tout, pourquoi pas ? Il n'y a pas si longtemps que Madère a été découverte par les navigateurs portugais. Jusque-là, personne n'aurait imaginé qu'il puisse y avoir une île à cet endroit. Pourquoi, alors, n'y en aurait-il pas d'autres, beaucoup plus loin à l'ouest, sur la mer Océane, là où nul encore n'est jamais allé ?

L'idée grandit dans la tête de Colomb. Il y

pense souvent. D'autant plus souvent qu'il n'arrête pas de naviguer sur cette mer Océane. À chaque nouveau départ, Felipa est inquiète.

– Reviendras-tu ? lui murmure-t-elle à l'oreille.

Colomb secoue la tête. Aucun marin ne peut répondre à cette question ! Surtout pas lui qui a déjà subi un naufrage dans sa jeunesse. Il se contente d'expliquer :

– La mer Océane ne ressemble pas à la Méditerranée. Mais j'apprends à la connaître.

– Qu'y a-t-il de si différent ? veut savoir Felipa.

– Les marées, d'abord, répond Colomb.

Il réfléchit et ajoute :

– Le mauvais temps. Les tempêtes sont plus violentes. Il y a aussi les courants ; et le brouillard, surtout quand on va vers le nord.

Vers le nord, Colomb y est allé. Il a navigué jusqu'en Angleterre, et même jusqu'en Islande. Il sait s'orienter d'après les étoiles et il comprend mieux comment utiliser les vents réguliers qui soufflent sur la mer Océane.

Au fil de ses voyages, son idée grandit et grandit encore.

Quand il s'installe à Lisbonne, avec Felipa et le petit Diego, sa conviction est faite. Si on navigue

sur la mer Océane en direction du ponant,
c'est-à-dire vers l'ouest, vers le soleil couchant,
on doit trouver une terre.

2

Non, non... et non !

– Les Indes...

C'est Jean II, le roi du Portugal, qui vient de prononcer ces mots.

Il considère l'homme qui se trouve devant lui : Christophe Colomb, un Génois. Donc un étranger. Mais ce Colomb est marié avec une Portugaise issue d'une famille de la noblesse. Par ailleurs, les rapports entre Gênes et Lisbonne sont excellents. Est-ce suffisant pour croire ce marin ?

Jean II est très intrigué par ce que Colomb raconte. Il l'écoute parler des indices qu'il a recueillis, des bois sculptés, des roseaux, et évoquer les témoignages des uns et des autres.

– Ce n'est pas tout, poursuit Colomb, les yeux brillants. J'ai correspondu avec le savant italien

Toscanelli. Il dit qu'une route maritime doit exister entre l'Europe et les Indes. Il pense que ce chemin serait beaucoup plus court que celui emprunté actuellement par les Portugais...

Jean II dresse l'oreille.

Les Indes...

C'est de là que proviennent le poivre, la cannelle, la muscade, le safran... autant d'épices très appréciées par les Européens. On dit aussi que les Indes possèdent de l'or, de l'argent et des pierres précieuses en quantité. Le problème est que les Indes sont loin, très loin, au bout de l'Asie. Et ce sont les marchands arabes qui contrôlent le commerce entre l'Europe et l'Asie. Depuis quelque temps, les prix augmentent sans cesse. Pire encore, les caravanes qui apportent les produits sont menacées par les Turcs.

Alors, s'il existait une autre route, par la mer, il deviendrait possible de se passer des commerçants arabes et d'éviter les attaques turques. Voilà pourquoi la proposition de l'étranger intéresse autant le roi du Portugal.

Colomb parle toujours.

– Pour une telle expédition, j'ai besoin de bateaux, de provisions et de marins. Si le Portugal finance ce voyage et si je réussis, quelle gloire pour son roi !

Jean II l'arrête.

– Je vais demander à mes conseillers ce qu'ils en pensent.

Les conseillers du roi rencontrent à leur tour Colomb et l'écoutent aussi avec attention. Puis ils transmettent leurs conclusions au roi.

– Ce Colomb est un orgueilleux, dit l'un. On ne peut pas lui faire confiance. Et il se trompe. Ses arguments ne reposent sur aucun fait scientifique. Juste sur son imagination.

– Nous pensons qu'une route maritime existe, prétend un autre. Mais pas en allant vers l'ouest ! Non, il faut passer par le sud. Nos navigateurs explorent les côtes de l'Afrique et nous en tirons déjà des richesses. C'est à eux qu'il faut donner les moyens de continuer leur exploration, pas à Colomb !

– Aucun marin ne le suivra ! poursuit un troisième. Personne n'est assez fou pour naviguer volontairement hors de vue de la terre, surtout pour un si long trajet...

– Il en demande trop, conclut un quatrième.

En cas de succès, il veut être nommé Grand Amiral de la mer Océane, vice-roi de toutes les îles découvertes, et conserver une part des richesses qu'il trouvera. C'est impensable !

Jean II est d'accord. Personne n'a jamais osé réclamer de tels avantages. Et puis, ses conseillers ont raison : mieux vaut concentrer leurs efforts sur l'Afrique.

Quand Colomb revient trouver le roi, la réponse est nette :

– Non.

Colomb est terriblement déçu. Et il ne sait que faire. Plus rien ne le retient au Portugal. Felipa est morte, quelque temps auparavant. Il est seul avec le petit Diego qui n'a que quatre ans. Il sait que la réponse du roi est définitive. S'il reste au Portugal, jamais il ne pourra mettre son projet à exécution.

Durant plusieurs nuits, Colomb ne dort pas. Il réfléchit. Un matin enfin, il prend sa décision : il doit quitter ce pays et aller trouver un autre roi qui saura l'écouter.

Le jour suivant, il embarque sur un bateau avec Diego. Destination ? L'Espagne.

En Espagne, règnent le roi Ferdinand et la reine Isabelle. Ce n'est pas facile pour un étranger comme Colomb de les rencontrer. Alors, il parle de son projet à des courtisans qui, à leur tour, en parlent aux souverains.

Le roi et la reine d'Espagne ont des soucis. Ils sont en guerre contre Grenade, occupée par les Sarrasins. Ils confient la demande de Colomb à une commission de conseillers et de savants.

Quand Colomb obtient la réponse, il est à nouveau déçu : c'est encore non.

Colomb n'abandonne pas. Il parle à d'autres courtisans qui vont trouver la reine Isabelle.

Un matin, Colomb se lève très tôt. Il va être reçu le jour même par les souverains d'Espagne ! Depuis des semaines, il se prépare. Il sait exactement ce qu'il va dire. Il est certain que ses arguments sont assez forts pour les convaincre. Néanmoins, une petite crainte lui serre le ventre. C'est toujours impressionnant d'être reçu par des souverains ! Et puis ici aussi, il n'est qu'un étranger. Il se raisonne. Allons… Il a une bonne expérience de la mer et un projet solide.

Le roi Ferdinand et la reine Isabelle l'accueillent

avec courtoisie et se montrent pleins de curiosité. À la fin de l'entretien, ils annoncent :

– Nous allons confier votre demande à une
nouvelle commission.

Colomb se retire, à moitié soulagé. Au moins,
ce n'est pas une réponse négative !

Les mois passent et Colomb attend.

Il apprend à vivre sans aller sur la mer. Il
s'instruit et lit beaucoup. L'un de ses ouvrages
préférés est *Le livre des merveilles du monde*,
de Marco Polo. Car ce Marco Polo est allé aux
Indes et il y a vécu. Dans son livre, il raconte
son voyage et décrit les choses extraordinaires
qu'il a vues.

Colomb est ébloui. Chaque après-midi, il
s'assoit à sa table et se plonge dans ses lectures.
Depuis peu, il vit avec une jeune Espagnole,
Beatriz. Parfois, elle le voit saisir sa plume et
écrire dans les marges de ses livres tout en
marmonnant :

– La terre est ronde et sphérique... La mer
est totalement navigable... La mer n'est pas trop
vaste... Entre les Indes et l'Espagne, il y a peu
de mer...

Quand il se lève, elle demande :

– Tu as bien travaillé ?

– J'ai avancé, répond-il avec un sourire.

Car il est de plus en plus certain d'avoir raison ! Il faut juste que quelqu'un lui fasse suffisamment confiance pour lui donner les moyens de réaliser son projet.

Enfin, des mois et des mois après sa demande, Colomb reçoit la réponse de la deuxième commission :

– Non.

3

LA PROMESSE DE LA REINE

— **J**e n'abandonnerai pas.

Ces mots, Colomb les répète à Beatriz, à son jeune frère, Barthélémy, qui l'a rejoint en Espagne, à tous ceux qui le soutiennent dans son projet.

Il est à nouveau reçu par la reine Isabelle à plusieurs reprises. Pour elle, il évoque la lettre de Toscanelli, le savant italien avec qui il a correspondu.

— La distance jusqu'aux Indes n'est pas si grande, déclare-t-il. Nous rencontrerons d'abord des îles, puis une grande terre. Un prince gouverne ce royaume ; on l'appelle le Grand Khan...

— Le Grand Khan ? relève la reine.

— Oui. Cela signifie le roi des rois. On dit qu'il aimerait beaucoup rencontrer des chrétiens.

En allant là-bas, nous apporterions nos croyances et pourrions convertir les habitants à notre foi.

La reine l'écoute avec attention. Elle est très pieuse, et l'idée de convertir des populations lui plaît beaucoup.

Colomb poursuit :

– Les villes sont d'une grande richesse. Des ponts de marbre ornés de statues traversent les fleuves. Partout, on trouve de l'or, de l'argent, des pierres précieuses, des épices... Sur l'île de Cipango, les temples et les maisons royales sont faits d'or pur.

La reine l'écoute toujours. La guerre contre les Sarrasins coûte cher, et cet or dont parle Colomb serait bien utile au royaume d'Espagne...

Colomb parle et parle encore. Quand il se tait, la reine lui dit :

– Nous sommes toujours en guerre contre Grenade. Mais la victoire est proche. Lorsque ce sera terminé, je vous aiderai.

Des années s'écoulent.

En décembre 1491 enfin, Colomb est à Grenade. La ville est magnifiquement décorée. Ses habitants sont dans les rues. Ils acclament le roi Ferdinand et la reine Isabelle qui font leur entrée dans la cité reconquise. La guerre est finie !

De tous ceux qui sont là, Colomb est le plus heureux car il a en tête la promesse de la reine Isabelle : « Lorsque cette guerre sera terminée, je vous aiderai. »

Et la reine tient sa promesse.

Quelque temps plus tard, Colomb rejoint le roi et la reine d'Espagne à Santa Fe, non loin de Grenade. Les documents dont il a besoin pour partir sont prêts. Colomb a obtenu tout ce qu'il désirait : trois navires et leur chargement ; le titre de Grand Amiral de la mer Océane ; celui de vice-roi des terres qu'il découvrira ; une partie des richesses qu'il trouvera.

Les souverains lui confient également des lettres de recommandation pour le Grand Khan et pour tous les rois et seigneurs des Indes qu'il pourrait rencontrer.

Au début du mois de mai 1492, Colomb rejoint Palos, un port au sud de l'Espagne. Le roi et la reine ont donné l'ordre aux habitants de cette ville de l'aider et de lui fournir trois bateaux parfaitement équipés.

Mais à Palos, tout le monde connaît son projet et personne ne croit en sa réussite.

— Des terres à l'ouest de la mer Océane ? Il est fou ! disent les uns.

— Ces bateaux ne reviendront jamais ! protestent les autres.

— Aucun marin ne voudra l'accompagner ! assurent les mieux informés.

— Bonne chance ! lui lancent certains sur un ton ironique quand ils le croisent dans la rue.

Cependant on ne discute pas les ordres du roi et de la reine, et bientôt, les trois bateaux sont prêts. Il s'agit de la *Pinta* et de la *Niña*, deux caravelles qui tiennent bien la mer, et de la *Santa Maria*, une nef, plus grande mais moins maniable.

Colomb a ses bateaux, mais impossible de prendre la mer, il ne trouve pas de marins ! Personne ne veut s'embarquer dans une telle aventure.

À Palos, tout le monde se moque de lui.

Tout le monde ? Presque.

Un jour, un homme vient le trouver. C'est un marin. C'est même l'un des meilleurs capitaines de Palos. Il s'appelle Martin Alonso Pinzon.

– J'ai entendu parler de votre projet, déclare-t-il à Colomb. Dites-m'en un peu plus.

Trois heures plus tard, Pinzon quitte Colomb en promettant :

– Je vais vous les trouver, moi, vos marins. S'il y a de l'or à ramasser et si on leur assure que chacun aura sa part, ils viendront. Tenez-vous prêt à partir.

Colomb n'a pas besoin de ce conseil. Cela fait des années qu'il est prêt !

Pinzon tient parole.

Le 3 août 1492, la *Santa Maria*, la *Pinta* et la *Niña* quittent le port de Palos. Colomb est debout sur le pont du premier bateau. Il respire l'odeur de la mer, il écoute le vent siffler à ses oreilles, il sent son corps épouser le balancement du navire. Cela fait si longtemps qu'il n'a pas navigué ! Pourtant, il n'a rien oublié.

Les habitants de Palos sont massés sur les quais. Ils regardent de tous leurs yeux les bateaux s'élancer vers la haute mer. Ils sont persuadés qu'ils ne les reverront jamais. Des femmes pleurent. Des enfants font de grands signes. Les hommes ne disent rien.

Sur le pont de la *Santa Maria*, Colomb a les larmes aux yeux quand il lance ses premiers ordres. Le vent s'engouffre dans les voiles et le bateau penche gracieusement. La *Pinta*, commandée par Martin Pinzon, et la *Niña*, commandée par son frère, Vicente Yanez Pinzon, le suivent. Le cœur de Colomb bat à grands coups dans sa poitrine. Il ne regarde pas derrière lui. Il est tendu vers l'avant, vers la mer.

Sur les quais de Palos, plus personne ne parle. Tous suivent du regard les trois navires qui filent vers l'horizon. Bientôt, ce ne sont plus que trois points minuscules qui dansent sur les vagues.

Et puis, ils disparaissent.

4

VERS L'INCONNU

Tout le jour, la *Santa Maria*, la *Pinta* et la *Niña* naviguent vers le sud, sous un vent vif. Colomb a bien réfléchi. Il ne va pas s'élancer directement sur la grande mer Océane. Il va d'abord rejoindre les îles Canaries, et c'est de là qu'il partira vers l'ouest.

Quelques jours plus tard, ils accostent aux Canaries. Mais pas question de repartir aussitôt ! Le gouvernail de la *Pinta* est cassé. Vont-ils pouvoir le réparer ? Ce n'est pas certain. Colomb cherche un autre bateau ; n'en trouve pas. Finalement, le gouvernail est réparé.

Un mois s'est écoulé depuis qu'ils ont quitté Palos, et Colomb a hâte de reprendre la mer. Dès qu'il a l'assurance que la *Pinta* peut à nouveau naviguer, il ordonne de charger les trois navires en eau douce, en bois et en viande.

Le huit septembre enfin, le vent du nord-est se lève au milieu de la nuit. C'est celui que Colomb attendait. Plus personne ne dort. Tous sont prêts à appareiller. Les trois bateaux s'élancent sur la mer, vers l'ouest.

Cette fois-ci, l'aventure commence vraiment.

Dès le lendemain, ils perdent la terre de vue. Pire encore ! Ils lui tournent le dos pour s'en éloigner davantage. Devant eux, ils n'ont plus qu'une immense étendue d'eau dont nul ne sait jusqu'où elle va ni même s'il y a quelque chose de l'autre côté. La peur mord déjà le ventre des marins et plusieurs ont l'air sombre tandis que le vent pousse les caravelles toujours plus loin.

Colomb s'est promis d'écrire chaque jour, avec exactitude, tout ce qu'il fera, tout ce qu'il verra et tout ce qui lui arrivera. Au soir de ce premier jour au milieu de la mer, il est seul dans sa cabine. Il écrit. Il a calculé combien de lieues les navires avaient parcourues ce jour-là : dix-neuf. Il hésite à tracer ce chiffre. Finalement, il se lance, mais ce n'est pas dix-neuf qu'il inscrit sur son journal de bord, c'est un chiffre inférieur.

Il sait à quel point les marins sont inquiets. Beaucoup ne lui font pas confiance. Or si Colomb leur fait croire qu'ils n'ont franchi que quelques lieues, ce sera facile de prétendre qu'ils avancent lentement. Normal, donc, qu'ils n'aient pas encore atteint leur but ! C'est ainsi que Colomb décide de tenir deux décomptes de la distance effectuée. Celui destiné aux marins indiquera des chiffres plus petits que la réalité. Le vrai décompte sera pour lui, et il le gardera secret.

Les jours passent.

Lundi dix septembre : soixante lieues couvertes ; quarante-cinq annoncées aux marins.

Mardi onze septembre : vingt lieues pour Colomb, seize pour les marins.

Voilà seulement trois jours qu'ils ont quitté les Canaries et ils ont déjà l'impression d'être partis depuis des semaines. L'eau les environne. Ils peuvent chercher d'un côté ou de l'autre, aucune côte n'est visible. Ils sont seuls au monde, avec le chant de la mer, le souffle du vent et les craquements des navires. Personne, jamais, ne viendra les chercher ici.

Les jours passent.

Sur le pont de la *Santa Maria*, Colomb respire à pleins poumons.

– L'air est si doux ! s'exclame-t-il. Aussi doux qu'en Espagne au mois d'avril. Il ne manque que le chant du rossignol pour se croire au printemps.

Le chant du rossignol… Ils sont nombreux à se demander s'ils l'entendront à nouveau.

Sur la mer, des touffes d'herbe flottent. Certaines sont très vertes. À bord des bateaux, les commentaires vont bon train :

– Elle vient bien de quelque part, cette herbe.

– Il y a une terre, pas loin d'ici. C'est certain.

– C'est sûrement celle que nous cherchons !

Colomb les détrompe :

– Impossible. Nous n'avons couvert qu'une toute petite distance depuis notre départ. La terre que nous cherchons est beaucoup plus loin.

Les jours suivants, les marins aperçoivent des albatros.

– La terre est proche, répètent-ils. Ces oiseaux ne s'éloignent pas des côtes.

– Non, insiste Colomb. La terre est encore loin.

Sur la mer, les touffes d'herbe forment à présent un tapis épais. Si épais que les marins ont peur qu'il finisse par bloquer les bateaux ! Les signes qu'une terre est proche se multiplient : des petits oiseaux, des albatros, une baleine... Mais ils ont beau scruter l'horizon, celui-ci reste vide. Et la peur gagne les marins.

— De l'herbe, des oiseaux... et pas de terre. Ce n'est pas normal, dit l'un.

— Nous ne rentrerons jamais chez nous, affirme un autre.

— Comment pourrions-nous rentrer ? s'exclame un troisième. Même si nous voulions faire demi-tour, nous ne pourrions y parvenir. Les vents soufflent toujours dans la même direction, vers l'ouest !

De la *Santa Maria* à la *Pinta*, de la *Pinta* à la *Niña*, de la *Niña* à la *Santa Maria*, la colère gronde.

— Colomb veut devenir un grand seigneur à nos risques et périls. Nous allons tous mourir !

— Nous l'avons accompagné jusqu'ici, nous avons rempli notre contrat. En réalité, il n'y a rien à découvrir. Rentrons.

— Bientôt, nous n'aurons plus rien à manger...

— Les bateaux ne tiendront pas. Écoutez-les craquer. Ils vont tomber en morceaux...

– Ce Colomb n'est qu'un étranger ! Pourquoi lui faire confiance ?

– C'est vrai ! Chez nous, personne n'a jamais cru à son projet.

– Assez de bavardages ! Jetons Colomb par-dessus bord !

– Un meurtre ?

– Mais non ! Personne n'en saura jamais rien. On dira qu'il est tombé par accident, en voulant observer cette herbe…

Ces rumeurs viennent aux oreilles de Colomb. Il rassure les marins : oui, la terre est proche. Oui, ils vont la trouver. Et alors, ils deviendront tous immensément riches.

Et puis, le vingt-cinq septembre, au coucher du soleil…

– Terre ! Terre ! hurle Martin Pinzon, le commandant de la *Pinta*.

Tous se précipitent. Une ligne grise flotte sur l'horizon, dans le miroitement des rayons du soleil sur les vagues. Elle est à peine visible, mais indiscutablement, il s'agit d'une terre. Tous, Colomb, les frères Pinzon et les marins des trois navires remercient le Seigneur tandis qu'une immense lueur rouge noie le ciel et que l'obscurité descend.

Le lendemain, la ligne grise a disparu. Ce n'était pas une terre, mais un morceau de ciel.

Trente septembre.

Trois octobre.

Dix octobre.

Les hommes n'en peuvent plus. Ils sont sûrs à présent que ce voyage ne finira jamais. Ils sont condamnés à errer sans cesse sur cette mer. Ils périront, l'un après l'autre, et là-bas, au pays, leur femme, leurs enfants, leurs parents, leurs amis passeront le reste de leur vie à les attendre.

Onze octobre.

La mer est plus forte. Des morceaux de bois dansent sur les vagues. Des marins en attrapent quelques-uns. Ces bouts de bois ont été sculptés par la main de l'homme. Puis c'est une branche chargée de fruits qui vient caresser les flancs de la *Niña*.

La nuit tombe.

Sur le pont de la *Santa Maria*, Colomb hume la mer. La terre est là, toute proche. Il le sait. Il la sent. Il plisse les yeux. Une lueur tremble, là-bas, pas loin. Elle disparaît. Revient. On dirait la flamme d'une petite chandelle qui tremble au gré du vent. Colomb n'ose rien dire. Jamais les marins ne lui pardonneraient une erreur.

Mais Colomb n'a pas rêvé.

Le douze octobre, alors que l'aube n'est pas encore levée, un marin murmure :

– Terre ! Il y a une terre… Là-bas !

Tous voient la ligne sombre posée sur la mer. Et cette fois-ci, elle est bien distincte, elle existe vraiment.

– Ramenez les voiles ! ordonne Colomb.

Les navires s'immobilisent. Pas question d'aller plus avant dans l'obscurité.

Alors, une longue attente commence.

5

VOUS AVEZ DIT DE L'OR ?

Le jour se lève.

Colomb est debout sur le pont de la *Santa Maria*, les yeux fixés sur la terre aperçue quelques heures auparavant. Il ne l'a pas quittée du regard de toute la nuit, comme si fermer les yeux aurait pu la faire disparaître.

Et elle est là ; bien là.

Le ciel s'éclaire doucement, dévoilant une plage de sable blond que les vagues viennent lécher. Derrière, la masse verte d'une forêt s'épanouit. Voici donc cette terre dont il a rêvé durant toutes ces années, si longtemps qu'il a le sentiment de la reconnaître.

Pinzon s'approche et demande :

— Amiral, vous êtes prêt ?

Colomb est trop ému pour parler. Il se contente

de hocher la tête. Une barque est mise à l'eau. Colomb y prend place, puis les frères Pinzon, puis le notaire de la flotte, puis des marins. La barque se détache de la *Santa Maria* et vogue vers le rivage. Bientôt, son fond racle le sable. Colomb se lève, enjambe le bastingage, saute dans l'eau, avance sur le sol, tombe à genoux, laisse filer du sable entre ses doigts, se redresse, regarde la mer et les trois navires qui dansent sur l'eau.

Les autres descendent à leur tour.

Colomb déploie la bannière royale. Les frères Pinzon plantent dans le sol deux étendards ornés d'une croix verte, emblèmes des navires de Colomb. Puis Colomb déclame d'une voix qui ne tremble pas :

— Moi, Christophe Colomb, Grand Amiral de la mer Océane, je prends possession de cette île au nom de Ferdinand et d'Isabelle, roi et reine d'Espagne, devant…

Et il cite le nom de ceux qui l'entourent.

Le notaire écrit cette déclaration que les témoins viennent signer.

C'est alors que des silhouettes émergent de la forêt. Des hommes grands, à la peau brunie, aux cheveux noirs qui tombent en frange jusqu'aux sourcils.

Ils avancent vers eux, les détaillant avec curiosité.

Colomb et les siens les regardent venir et quelqu'un murmure :

– Vous avez vu ? Ils sont nus... Complètement nus !

Le rivage où Colomb a abordé est une île. Les Indiens l'appellent Guanahani, mais Colomb la baptise San Salvador.

L'île est grande, plate et plantée d'arbres très verts. Toutes sortes de fruits y poussent et il y a de l'eau partout. Ses habitants sont nombreux et curieux de ces étrangers qui viennent de débarquer.

Colomb a emporté une grande quantité de marchandises bon marché à échanger avec les populations rencontrées : des grelots, des perles de verre de différentes couleurs, des petits miroirs, des chemises de toile, des bonnets rouges... À ces premiers Indiens, il offre des bonnets et des perles de verre. En échange, ses marins et lui reçoivent toutes sortes de cadeaux : des perroquets, des pelotes de fil, des sagaies, des armes qui ressemblent à des lances...

Deux jours plus tard, Colomb laisse la *Santa*

Maria, la *Pinta* et la *Niña* à l'ancre, et avec quelques-uns de ses compagnons, il part explorer les côtes de Guanahani sur les barques des navires.

D'autres villages y sont installés. Dès qu'ils aperçoivent les barques, les habitants se précipitent. Ils poussent dans l'eau de drôles d'embarcations, faites d'un tronc d'arbre creusé, qu'ils appellent des canoës. Ceux qui n'y trouvent pas de place se jettent dans les vagues et arrivent à la nage. Tous parlent et gesticulent. Colomb finit par comprendre qu'ils veulent savoir si les étrangers à la peau blanche viennent du ciel.

Colomb donne des ordres :

– Gardons sept jeunes hommes avec nous. Ils nous guideront. Ensuite, nous les ramènerons en Espagne pour les offrir au roi et à la reine.

Mais Colomb ne perd pas de vue son objectif : trouver Cipango, cette île mystérieuse où les temples et les maisons royales sont d'or, explorer le pays des épices, rencontrer le Grand Khan qui règne sur les Indes, et lui remettre les lettres écrites pour lui par le roi et la reine d'Espagne. Aussi les navires repartent-ils avec leurs nouveaux pensionnaires.

La mer qui s'ouvre devant eux est couverte d'îles. Des grandes, des moyennes, des petites... Colomb ne sait pas par où commencer !

Si. Par la plus grande.

Colomb est curieux de tout : des gens qui vivent là, des paysages, de la végétation, des animaux, de la mer... mais ce qu'il cherche, c'est de l'or.

De l'or, certains habitants en portent des petits morceaux, accrochés à leurs narines. Colomb les questionne par gestes et finit par comprendre que l'or vient de plus loin, d'un lieu où vit un roi qui en possède beaucoup. Les trois navires partent à la recherche de ce roi.

Naviguer sur cette mer est extraordinaire. L'eau est si transparente que tous les détails du fond sont visibles. Des poissons inconnus y nagent, parés de couleurs chatoyantes : du bleu, du jaune, du rouge, du vert, de l'orange... Certains sont complètement bariolés ! Et le sable est si clair...

À terre, la végétation est tout aussi étonnante. Les arbres s'élancent vers le ciel. Ils ne ressemblent pas à ceux que les marins connaissent.

Sur certains, des branches de différentes sortes jaillissent d'un même tronc ! Et un prodigieux concert de cris d'oiseaux salue ceux qui s'approchent.

Colomb et ses hommes vont d'île en île et d'émerveillement en émerveillement. Partout, ils sont bien accueillis. Les habitants de ces îles sont persuadés qu'ils sont des envoyés du ciel. Dès que Colomb et ses hommes débarquent, ils leur apportent de l'eau et des cadeaux.

Sur chaque terre où il s'arrête, Colomb fait dresser une grande croix qui est solidement plantée dans le sol. Ses hommes se rassemblent autour et remercient Dieu de les avoir conduits sains et saufs jusque-là. Ils joignent leurs mains, puis se signent. Les habitants des îles les imitent.

– Ces Indiens feront de bons chrétiens, déclare Colomb, ravi. Ils n'ont pas de religion à eux ! Regardez : ils ne demandent qu'à se convertir.

– Ils devront apprendre à se vêtir ! remarque un marin.

Partout, en effet, les hommes comme les femmes vont nus. Certains peignent leur visage ou leur corps en brun, en blanc, en rouge vif.

– Ils obéiront, assure Colomb. Ils ont l'air dociles. D'ailleurs, ils n'ont même pas d'armes. Juste leurs sagaies qui ne sont que de vulgaires bâtons. Ils ne connaissent pas le fer. L'autre jour, l'un d'eux s'est coupé en empoignant la lame de mon épée. Il ignorait qu'il pouvait se blesser ! D'ailleurs, vous avez bien vu que jamais ils n'ont eu un geste de menace envers nous.

Le mois d'octobre s'écoule. Colomb et ses compagnons sont toujours à la recherche d'or. Les jeunes gens qu'ils ont emmenés avec eux, et d'autres qu'ils ont rencontrés, les envoient plus loin, toujours plus loin. Et chaque île découverte est plus belle que la précédente.

Parfois, à leur approche, les habitants s'enfuient. Colomb et ses hommes entrent alors dans des villages déserts et pénètrent dans les habitations. Ce sont des maisons en forme de tentes avec une ouverture au sommet qui sert de cheminée. Elles sont propres et bien tenues.

Colomb interdit tout pillage.

– Celui qui prendra quoi que ce soit sera sévèrement puni, avertit-il. Les Indiens ne doivent pas nous craindre. Nous devons leur laisser

une bonne impression pour que ceux qui viendront après nous soient bien reçus.

Dans l'un de ces villages où les habitants sont
restés, séduits par les perles de verre des marins,
ils apprennent l'existence d'une île plus grande
que les autres.

— Ils la nomment Colba ou Cuba, dit Colomb.
D'après eux, beaucoup de gens y vivent et de
grands bateaux y viennent. Ça ne peut être que
la Cipango que nous cherchons. Allons-y. De là,
nous rejoindrons la grande terre et sans doute
pourrons-nous enfin rencontrer le Grand Khan.

La navigation se poursuit. Peu à peu, le relief
des îles change. Jusque-là, elles étaient plates. À
présent, des montagnes y dressent leurs sommets vers le ciel. Ces îles semblent également
plus riches, avec de grandes maisons ornées de
statues.

Depuis plusieurs jours, les navires longent
une côte sans fin. S'agit-il de l'île de Cuba ou
déjà de la grande terre ? Ils l'ignorent et poursuivent leur navigation. Mais Martin Pinzon, le
commandant de la *Pinta*, en a assez.

— Où est-il, cet or que vous nous promettez ?
demande-t-il à Colomb. Nous passons d'une île

à l'autre, vous prenez des relevés, vous nommez les lieux que nous traversons, vous étudiez les populations, les plantes, les animaux… Tout cela est très bien ! Mais ce n'est pas ce que nous sommes venus chercher. Vous nous avez promis de l'or, et cet or, je le veux.

— Nous le trouverons, assure Colomb.

— Gagnons directement l'île de Babèque dont les Indiens ont parlé, propose Martin Pinzon. Ils prétendent qu'il y a plus d'or sur cette île que n'importe où ailleurs. Inutile de traîner plus longtemps.

Et comme Colomb ne répond pas, Pinzon ajoute en ricanant :

— Faites comme vous voulez. Moi, en tout cas, j'y vais. La *Pinta* est plus rapide que votre *Santa Maria*, rattrapez-moi si vous pouvez !

Pinzon lance des ordres sans attendre. La *Pinta* déploie ses voiles et Colomb la voit s'éloigner sans pouvoir intervenir. Pinzon a raison : la *Santa Maria* n'a rien d'un navire de course. Il reste donc sur place avec la *Niña*.

6

JE REVIENDRAI...

Début décembre.

La *Santa Maria* et la *Niña* poursuivent leur exploration. Parmi les populations qu'ils rencontrent, un nom revient souvent : Caribas. Pour Colomb, aucun doute n'est possible, il désigne le peuple du Grand Khan.

– Nous approchons ! Nous approchons ! ne cesse-t-il de répéter.

Les deux navires continuent de circuler parmi les îles dont Colomb dresse la carte au fur et à mesure. Sur les sommets, des feux sont allumés pour annoncer leur approche et les villages qu'ils découvrent sont déserts car la population a fui avant leur arrivée.

– Ces gens doivent être souvent traqués pour réagir ainsi, marmonne Colomb.

— Vous n'avez pas entendu ce qu'ils racontent ? demande le commandant de la *Niña*. Ces Caribas mangent leurs ennemis !

— Bien sûr que non ! s'exclame Colomb. Jamais le Grand Khan ne permettrait une chose pareille. Il les retient prisonniers, voilà tout. Et comme les leurs ne les voient pas revenir, ils croient qu'ils ont été mangés !

Vingt-cinq décembre.

Voilà deux jours et une nuit que Colomb n'a pas fermé l'œil. Il confie le gouvernail à un marin. La mer est calme et le marin a sommeil. Un mousse traîne sur le pont. Le marin hésite. Colomb a formellement interdit de laisser le gouvernail à un mousse, aussi doux soit le temps. Mais rien à faire, les yeux du marin se ferment.

« Tant pis, songe-t-il. Colomb n'en saura rien. »

C'est compter sans les courants. Ils entraînent doucement la *Santa Maria* vers un banc de sable. Quand le mousse s'en aperçoit, il appelle à l'aide. Trop tard. La *Santa Maria* vient de s'échouer, non loin de la côte.

Aux premières lueurs du jour, Colomb examine les dégâts. Ils sont impressionnants. Jamais la *Santa Maria* ne pourra reprendre la mer. Heureusement, quelques jours auparavant, ils ont été reçus par les Indiens qui vivent dans cette île, que Colomb a baptisée Hispaniola, et leur roi s'est montré particulièrement accueillant. Colomb le fait avertir. Dès qu'il est informé, le roi envoie de grands canoës. En peu de temps, la *Santa Maria* est déchargée. Tout ce qui se trouve à son bord est ramené à terre et soigneusement entreposé dans des maisons mises à la disposition de Colomb.

Le roi assure Colomb de son amitié. Des Indiens viennent échanger des morceaux d'or contre des grelots. Le roi affirme à Colomb qu'il peut lui en apporter encore.

Plus tard, le roi fait comprendre à Colomb qu'il craint ces Caribas qui débarquent parfois sur ses côtes pour capturer les siens. Colomb demande alors à un marin :

– Va chercher un arc et des flèches. Nous allons leur montrer comment nous nous défendons.

Puis il fait tirer le canon pour impressionner les Indiens. Le roi est émerveillé. Il est certain que les seigneurs blancs sauront le défendre contre les Caribas. Il offre à Colomb un grand masque couvert de fragments d'or.

Alors Colomb prend une décision : lui va rentrer en Espagne avec la *Niña*, mais il va laisser des hommes ici, en attente de son retour. Car il n'a pas de doute : dès que le roi et la reine d'Espagne seront informés du succès de son voyage, ils lui donneront les moyens de monter une deuxième expédition.

Depuis son arrivée dans ces îles, Colomb a dans l'idée d'y édifier une forteresse. Jusque-là, il n'a pas trouvé le lieu idéal. À présent, il l'a. À cet endroit, la côte est bien protégée et il est assuré du soutien et de la fidélité de ce roi.

Il ordonne de construire une tour et un fort entouré d'un fossé. Trouver la quarantaine d'hommes qui resteront ici n'est pas difficile. Ils sont nombreux ceux qui le lui ont demandé, séduits par la douceur de vivre qui règne dans ces îles.

Huit jours plus tard, tout est prêt. La forteresse est terminée. À ceux qui vont désormais vivre ici, Colomb laisse des marchandises à échanger contre de l'or, et ce que contenait la *Santa Maria*, c'est-à-dire des biscuits, du vin,

de l'artillerie, une grosse barque, des graines…
De quoi tenir en attendant qu'il revienne.

Le quatre janvier, au lever du soleil, la *Niña* est prête à prendre la mer. Un vent léger s'est levé ; il gonfle les voiles de la caravelle qui s'éloigne sous les vivats de ceux qui restent.

Deux jours plus tard, la *Niña* suit la côte d'une autre île. Le vent souffle fort et risque de pousser le navire vers des récifs ou des bancs de sable. Colomb ordonne à un marin de grimper au sommet du grand mât. De là-haut, il verra mieux le fond de la mer et le préviendra du danger.

Soudain, le marin crie :

– Une voile ! Je vois une voile, là-bas, à l'est !

À bord, c'est la stupéfaction. Depuis leur départ des Canaries, les seules voiles qu'ils ont vues sont celles de la *Santa Maria*, de la *Pinta* et de la *Niña*. Qui peut bien naviguer en ces lieux ?

Et puis, le marin hurle :

– La *Pinta* ! C'est la *Pinta* ! Elle vient droit sur nous !

Colomb n'a pas oublié la trahison de Martin Pinzon et il lui en veut toujours. Lorsque la *Pinta* est proche, Pinzon demande à monter à bord. Ses premiers mots sont pour s'excuser et Colomb ravale sa colère. Un long voyage l'attend pour regagner l'Espagne et mieux vaut être à deux pour l'affronter.

La *Pinta* et la *Niña* naviguent encore quelques jours entre les îles. Le seize janvier, un vent frais se lève. Colomb hésite. À présent qu'il a retrouvé la *Pinta*, il pourrait prolonger son exploration. Mais ce vent pousse les caravelles vers l'est, vers l'Espagne, et il sent bien que ses marins ont envie de rentrer.

Il lance des ordres et la haute mer s'ouvre devant les deux bateaux.

Colomb est debout sur le pont arrière de la *Niña*. Il regarde s'éloigner ces Indes dont il a tant rêvé. Bien sûr, il ne rapporte pas autant d'or qu'il espérait. Pas beaucoup d'épices, non plus. Et il n'a pas découvert la belle Cipango ni rencontré le Grand Khan. Quant aux lettres destinées au roi des rois et à tous les princes des Indes, elles dorment encore, à l'abri dans sa cabine.

Qu'importe !

Ce n'est que partie remise.

Car tout ce qu'il a vu dans ce pays est à jamais

ancré dans son cœur : les eaux transparentes de la mer, les îles merveilleuses couvertes d'arbres inconnus, le vacarme des oiseaux, les poissons multicolores, les parfums, et surtout les Indiens nus qui les ont accueillis comme s'ils étaient des dieux.

Alors Colomb est certain d'une chose : il reviendra.

POUR EN SAVOIR PLUS
SUR L'HISTOIRE DE CHRISTOPHE COLOMB

On connaît l'histoire de Christophe Colomb d'abord par les textes. En effet, lors de ses voyages, Christophe Colomb a toujours tenu un journal de bord, et certaines parties de ces journaux sont parvenues jusqu'à nous. Ceux qui l'ont soutenu auprès du roi et de la reine d'Espagne ou qui l'ont accompagné dans ses aventures ont aussi laissé des écrits. On connaît également cette histoire grâce aux travaux des chercheurs, des historiens et des marins, dont certains ont suivi à leur tour les itinéraires empruntés par Christophe Colomb.

Que sont « les Indes » à l'époque de Christophe Colomb ?

Les régions d'Extrême-Orient. À l'époque de Christophe Colomb, les Indes est le nom donné par les Européens aux pays de l'Asie orientale, comme la Chine ou le Japon, que l'on nomme Cipango.

Qui était Christophe Colomb ?

Un grand marin. Christophe Colomb est né à Gênes, en Italie, vers 1451. Il devient marin à l'âge de 14 ans. Il arrive au Portugal en 1476, suite à un naufrage. Il s'y installe et s'y marie. C'est là qu'il commence à réfléchir à son grand projet : rejoindre les Indes en partant vers l'ouest, par la mer Océane, l'actuel océan Atlantique.

Pourquoi s'embarquer sur la mer Océane semblait une idée folle ?

Parce que la mer Océane est immense. À l'époque de Colomb, les bateaux naviguent en ayant toujours une côte en vue, ou en sachant que si une terre disparaît, une autre va aussitôt apparaître. Sur la mer Océane, on perd vite la côte de vue, et on ne sait plus où on se trouve. Heureusement, Colomb savait se repérer avec une boussole et en calculant sa vitesse.

Quelles sont ces îles que Colomb a découvertes ?

Les Bahamas, Cuba et Haïti.
La première île où Colomb débarque est San Salvador, aux Bahamas. La grande île que Colomb prend pour Cipango est Cuba. L'île où la *Santa Maria* fait naufrage, baptisée Hispaniola par Colomb, est aujourd'hui Haïti. Colomb a découvert un nouveau continent qui s'appellera l'Amérique, mais il ne le sait pas. Il pense être arrivé aux Indes et donne aux habitants qu'il rencontre le nom d'Indiens.

La *Pinta* et la *Niña* sont-elles rentrées à bon port ?

Oui.
Les deux caravelles ont retraversé l'océan.
Vers la fin de leur voyage, elles ont été prises dans une tempête et séparées. Mais chacune a finalement réussi à gagner un port. En Espagne, Colomb a été reçu triomphalement.

Colomb est-il retourné « aux Indes » ?

Oui.
Suite au succès de son premier voyage, le roi et la reine d'Espagne lui ont donné les moyens de repartir avec une flotte plus importante. Colomb effectuera en tout 4 voyages de l'autre côté de la mer Océane.

Colomb a-t-il retrouvé les hommes laissés à Hispaniola ?

Non.
Quand Colomb revient à Hispaniola, il découvre que la forteresse qu'il a fait construire a été brûlée. Quant aux hommes qu'il a laissés, ils sont morts, des désaccords étant intervenus entre les Indiens et eux.

Que s'est-il passé après la découverte de l'Amérique ?

Les Européens ont colonisé le nouveau continent.
Beaucoup d'Européens sont partis s'installer en Amérique. Ils ont exploité les richesses et les terres, et obligé les Indiens à travailler pour eux.
De nombreux Indiens sont morts des mauvais traitements qu'ils ont subis ou des maladies apportées d'Europe.
Pour les remplacer, les Européens ont fait venir des esclaves qu'ils allaient chercher en Afrique.

Pourquoi l'Amérique porte-t-elle ce nom ?

À cause d'Amerigo Vespucci,
un navigateur italien.
À partir de 1499, Vespucci effectue plusieurs voyages vers le Nouveau Monde. Un géographe allemand donna son nom au nouveau continent quelques années plus tard.

TABLE DES MATIÈRES

HÉLÈNE MONTARDRE

Hélène Montardre est écrivaine. Elle a écrit de nombreux livres : romans, contes, récits, albums et documentaires.

Aux éditions Nathan, elle a déjà publié *Le fantôme à la main rouge*, *Persée et le regard de pierre*, *Zeus à la conquête de l'Olympe*, *Ulysse l'aventurier des mers*, *Alexandre le Grand – Jusqu'au bout du monde*, et les romans de la collection « Petites histoires de la mythologie ».

petites histoires.
de l'**HISTOIRE**

DÉJÀ PARUS